Caperucita Azul

A todas las historias que contienen otras historias,
y a todos los que jamás dejarán de escucharlas
G. R.

Para Inty. Gracias a Alice, Audrey,
Aurélie, Lou y Romain
C. P.

DIRECCIÓN EDITORIAL: Cristina Arasa
COORDINACIÓN DE LA COLECCIÓN: Mariana Mendía
CUIDADO DE LA EDICIÓN: Ariadne Ortega
DISEÑO: Maru Lucero y Javier Morales
TRADUCCIÓN: Darío Zárate Figueroa

Caperucita Azul

Título original en francés: *Le Petit Chaperon bleu*

PRIMERA EDICIÓN: noviembre de 2013
D. R. © 2013, Ediciones Castillo, S. A. de C. V.
TERCERA REIMPRESIÓN: julio de 2022
D. R. © 2022, Macmillan Educación, S. A. de C. V.
Castillo ® es una marca registrada.
Macmillan Educación forma parte de Macmillan Education.

Insurgentes Sur 1457, piso 25,
Insurgentes Mixcoac, Benito Juárez,
C. P. 03920, Ciudad de México, México.
Teléfono: 55 5482 2200
Lada sin costo: 800 536 1777
www.edicionescastillo.com

ISBN: 978-607-463-930-8

Miembro de la Cámara Nacional de la Industria Editorial Mexicana.
Registro núm. 3993

Impreso en México / *Printed in Mexico*

Caperucita Azul

GUIA RISARI

Ilustraciones de **CLÉMENCE POLLET**

Preámbulo 1

Todo aquello que te recuerde, aunque sea remotamente, a personas que conozcas, lugares que hayas visitado u objetos que hayas tocado, es prueba de que esta historia no es un simple invento.

Preámbulo 2

Te sugerimos leer las notas sólo si tienes ganas, si te gusta que de una historia nazcan otras y si te divierte distinguir lo verdadero de lo falso. En efecto, algunas notas son completamente verídicas, mientras que otras son, a todas luces, falsas, y otras más están en un punto medio. Tú, lector, también puedes inventar nuevas historias; todo lo que propongas será bienvenido.

Preámbulo 3

A la autora le encantaría saber en qué te transformarías ante un peligro. Este ejercicio, repetido dos o tres veces al día, aumenta la creatividad y la capacidad de reaccionar ante el miedo. Se recomienda tanto a los más pequeños como a los adultos.

1,942 palabras

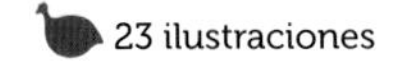

En el lejano bosque de Manzania
vivía una pequeña y linda familia que habitaba una casa de madera elevada en un claro aislado. La familia tenía un bonito huerto, algunas gallinas y, a un lado, había un arroyo lleno de peces.

El padre vendía leña, la madre era una excelente costurera y la hija era una niña muy lista, independiente y amante de los cuentos de hadas. Era difícil, por no decir imposible, obligarla a hacer algo que ella no quisiera.

Manzania es un país lejano. Se llama así por las numerosas manzanas que crecen espontáneamente en los árboles, incluso cuando no son manzanos.

Para ser precisos, eran tres gallinas: Raquel, Betina y Tomasa. No había gallos, porque los gallos tienen la pésima costumbre de despertar a todo mundo al amanecer.

VERDURAS GRIMM

CUENTOS de PERRAULT
GRIMM

Como regalo de cumpleaños, su madre le hizo una bonita sudadera con capucha. Era roja, con grandes botones brillantes, y hermosos bordados en las mangas y en los bolsillos.

A la niña le encantó, sólo que no le gustaba el color, pues le parecía demasiado llamativo, difícil de combinar y, además, le recordaba cierta historia triste que había oído cuando era pequeña; una historia de lobos, abuelas, cazadores y devoraciones diversas.

No tenemos el modelo exacto de la sudadera pero, por los dibujos, suponemos que era de forma acampanada y de manga ancha. La capucha debía ser suficientemente grande para que cupiera la cabeza de la niña cuando se hacía coletas.

Aunque no tenemos la certeza, creemos que se trata de un viejo cuento de Charles Perrault titulado *Caperucita Roja*.

PINTURA
AZUL
1% Gel

Sin pedir permiso, la niña salió al bosque a buscar una planta llamada *Indigofera tinctoria* y tiñó la sudadera de un magnífico azul brillante. Este color le gustaba mucho y de inmediato se pavoneó frente al espejo.

La sudadera azul le quedaba tan bien que nunca quería quitársela, ni siquiera cuando estaba en casa, y todo mundo empezó a llamarla Caperucita Azul.

La niña se manchó las manos, pero no le molestó tenerlas azules por un tiempo.

Un día que el padre de Caperucita Azul fue a la ciudad, la niña, por encargo de su madre, debía llevarle a la abuela una canasta con pan, queso y miel. La anciana estaba enferma y necesitaba comer algo nutritivo.

Caperucita Azul aceptó, aunque no tenía ganas: su abuela era una mujer dulce y gentil, pero muy, muy aburrida. Sólo hablaba sobre su salud y no contaba historias divertidas. Aun así, Caperucita Azul la quería mucho y se puso la canasta bajo el brazo.

—¡Pesa mucho! —protestó y luego se adentró en el bosque en dirección a la casa de su abuela.

El padre de Caperucita Azul iba a la ciudad todos los miércoles; vendía leña y se abastecía de productos que no se conseguían en el bosque.

En realidad el queso no es recomendable para alguien enfermo, pero la madre de Caperucita Azul no lo sabía. No siempre es posible estar bien informado.

La canasta, en efecto, pesaba tres kilos con cincuenta y seis gramos: 390 g 225 g x 4 190 g 326 g 210 g 200 g 340 g 500 g

Alcaldía de Manzania
Parque Charles Perrault
Abierto
9:30
a
18:30

Era un bello día. El sol hacía brillar las hojas de los árboles, y una brisa ligera despeinaba los prados. Caperucita Azul caminaba observando la hierba: buscaba tréboles de cuatro hojas, pues le encantaban. ¡Qué buena suerte tendría si encontraba uno!

Al llegar frente a un hermoso prado de dientes de león, tréboles y margaritas, Caperucita Azul se detuvo para buscar tréboles. Estaba en cuclillas cuando vio cuatro troncos. ¿Troncos peludos que se movían? ¡No eran troncos; eran patas!

Al levantar la vista, Caperucita Azul vio un enorme lobo.

—¿Qué haces en el suelo? —le preguntó con gentileza el lobo, aunque su mirada era amenazadora.

Encontrar un trébol de cuatro hojas es de buena suerte. Algunos creen que si ponen uno bajo la almohada tendrán bellos sueños. Según la leyenda, las hojas representan la esperanza, la fe, el amor y la felicidad.

El *Taraxacum*, mejor conocido como "diente de león", es una hierba comestible muy común, que posee propiedades diuréticas. Por esta razón, también se le llama "mojacamas".

Sin dejarse impresionar, la niña respondió:

—Busco la hierba de la juventud eterna.

—¿Ah, sí? ¿Y cómo es? —preguntó el lobo, animado por un verdadero interés.

—Tiene la forma de un trébol de cuatro hojas —fue la sencilla respuesta de Caperucita Azul.

El lobo la miró fijamente.

—¡Estás burlándote de mí! —exclamó.

—Bueno, lo admito, estaba haciéndote una broma —confesó Caperucita Azul.

—Si es así, abreviemos la historia y en vez de perder el tiempo con tonterías como preguntarte a dónde vas, correr a casa de tu abuela, devorarla, esconderme en su cama, comerte y permitir que un cazador me acribille, hagamos esto: te como ahora mismo y ya.

Desde luego, esa hierba no existe. Aun así, algunas personas creen en ella y se empeñan en buscarla por todas partes.

Una referencia más a la historia de *Caperucita Roja*, un cuento de hadas que todos los lobos conocen desde su más tierna infancia (con las variantes necesarias para no desanimarlos demasiado).

Caperucita Azul no tenía ganas de ser devorada.

—Querido lobo, creo que estás confundido. La historia que cuentas es la de Caperucita Roja que, como su nombre lo indica, tiene una sudadera roja. Mira bien la mía y dime de qué color es.

—Azul —respondió el lobo, asombrado.

—¡Exacto! Así que sigue tu camino y busca a la niña correcta.

El lobo estaba a punto de retirarse cuando decidió preguntar:

—Disculpa, pero ¿qué me impide comerte?

—La fidelidad a las historias. Sin eso, narrar cuentos de hadas no tendría sentido —dijo la niña.

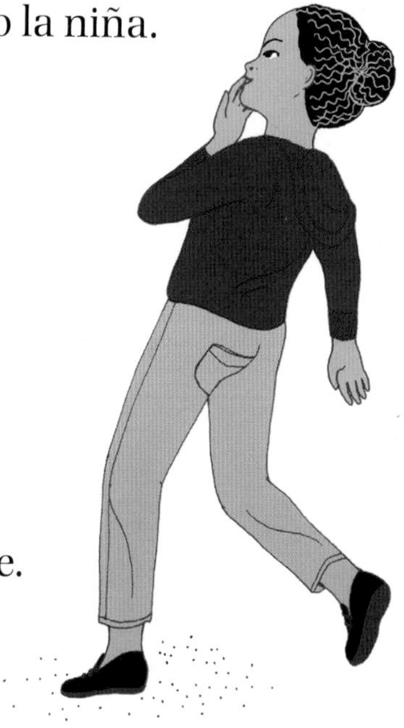

El argumento era convincente, pero el lobo no había probado bocado en tres días y tenía hambre.

—No me importan las historias. De cualquier manera, te comeré.

—No puedes comerme, soy la Bella Durmiente del bosque.

Caperucita Azul se transformó en una joven de tez pálida que dormía profundamente.

—Y yo soy el príncipe que la despierta con un beso.

El lobo adoptó el aspecto de un joven y la besó.

—¡Puaj! —gritó Caperucita Azul.

—Ahora soy Cenicienta. ¡Veamos cómo sales de ésta!

La niña descalza se situó junto a su carroza de calabaza.

—Haré que te pruebes estas zapatillas. Si te quedan, te como —replicó el lobo, transformándose en paje del príncipe.

—¿Cómo lograrás que me pruebe las zapatillas si no tengo pies?

Caperucita Azul se había transformado en un sapo.

El lobo tomó la apariencia de una princesa y besó a Caperucita Azul.

—¿Otra vez un beso? —protestó ella, convertida en príncipe.

El lobo se quedó pensativo durante algunos segundos y enseguida tomó la forma de un temible dragón.

—Y ahora, ¿qué vas a hacer? —rugió.

Caperucita Azul no se desanimó. Armada con una coraza y una espada, y montada en un corcel alado, se enfrentó a él como un valiente caballero.

El lobo decidió recurrir a poderes sobrenaturales y se transformó en el hechicero Merlín.

—¡Qué predecible eres! —dijo Caperucita Azul, y el hada Morgana ya estaba frente a Merlín, espléndida y envuelta en una larga capa negra.

—No me queda otra opción que convertirme en bola de fuego —dijo el lobo, escupiendo llamaradas—. Te comeré rostizada.

—Tranquilo, querido lobo —trinó Caperucita Azul, quien se había transformado en el oleaje impetuoso de un enorme río.

—¡Soy el cálido viento del Siroco! —respondió el lobo con un soplo que evaporó la mitad del agua.

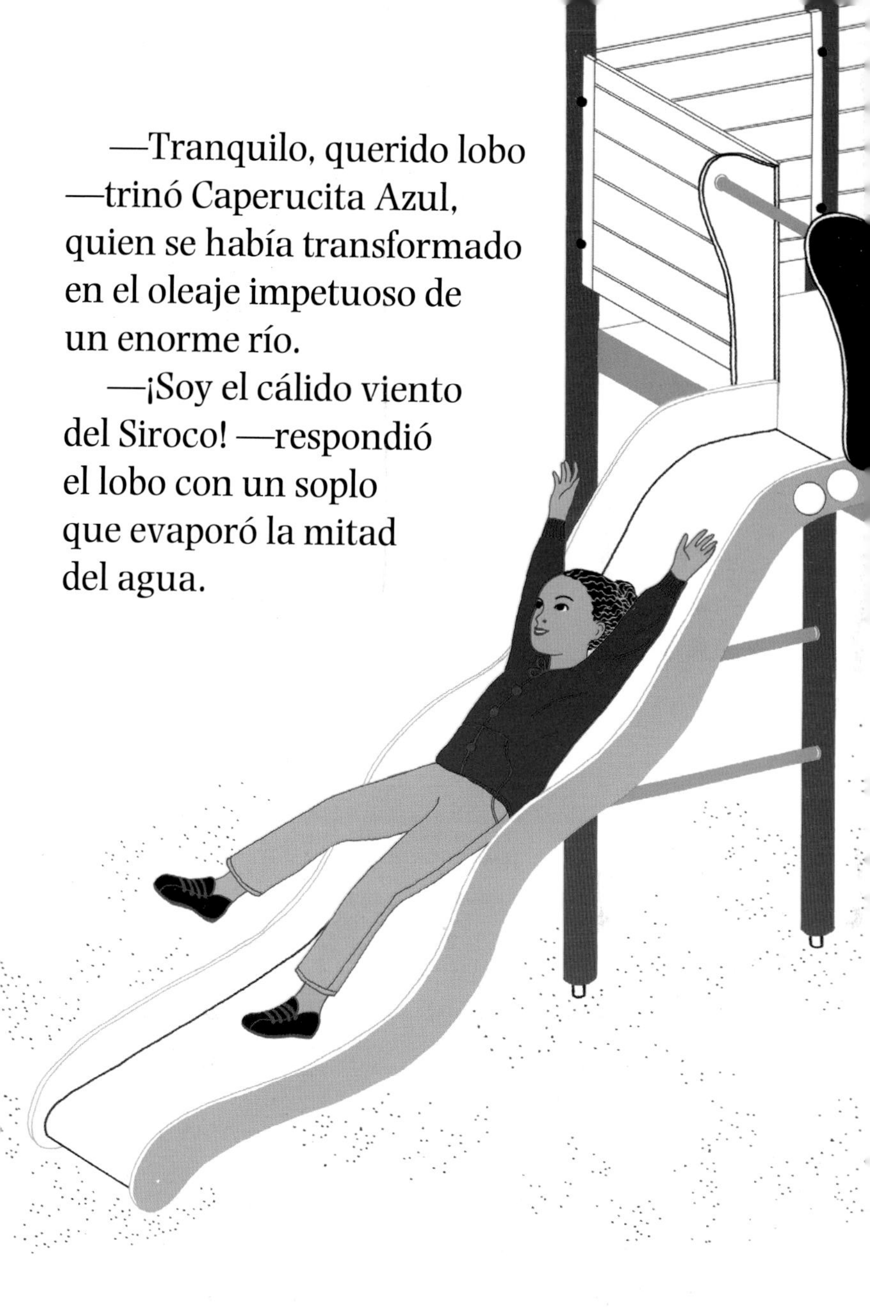

—¿Cómo vas a evaporarme si soy arena? —preguntó Caperucita Azul.

Y allí, frente al lobo, apareció una duna de arena fina y dorada.

—¡Perfecto! —exclamó él—. Creo que voy a barrerte.

Y, en forma de escoba, el lobo comenzó a levantar su botín.

Caperucita Azul aprovechó la ocasión y se transformó en bruja. Montó en su escoba y voló más allá de los árboles, más allá del bosque y bajó en picada sobre el prado con un giro acrobático.

—Y bien, lobo, ¿ya tuviste suficiente? —preguntó con una sonrisa triunfal.

El lobo se desplomó en el suelo, sin aliento.

Caperucita Azul miró al lobo un momento y luego se dio cuenta de que era tarde.

—¡Ya es muy, muy, muy tarde! No podré llevar la canasta con mi abuela y volver a casa a tiempo para la cena. ¡Mamá me prometió doble ración de pastel de manzana y, ahora, por tu culpa, no voy a cenar nada!

De repente, Caperucita Azul abandonó su actitud burlona y comenzó a lamentarse, gimotear, desesperarse, sollozar y llorar...

El lobo estaba conmovido y le temblaban las orejas.

—Súbete y sujétate fuerte —le dijo el lobo a la niña.

Caperucita Azul se agarró de él y cuidó muy bien la canasta para su abuela.

El lobo volaba como un rayo, saltó los matorrales e hizo bailar por todos lados las manzanas de los árboles y las piedras del camino.

Cuando llegaron a la casa de la abuela, las mejillas de Caperucita Azul todavía estaban húmedas.

Esto significa que el lobo es un corredor formidable y que, para llegar a la casa de la abuela, tardó menos de treinta y seis segundos, que es el tiempo necesario para que las lágrimas se sequen.

Lanzarote
EN CONCIERTO

Caperucita Azul le entregó la canasta a su abuela y escuchó pacientemente todas sus enfermedades en orden alfabético.

Después, cuando el sol empezaba a ponerse, Caperucita Azul emprendió el camino de regreso, siempre agarrada del pelaje del lobo.

No mencionaremos todos los padecimientos, pero para dar una idea del estado de salud de la abuela de Caperucita Azul, he aquí algunos: angina, bronquitis, callos, duodenitis, eccema, fístulas, gota, herpes zóster y así hasta la sindactilia (fusión de algunos dedos de las manos o de los pies).

El viaje fue rápido y pronto apareció la casa de Caperucita Azul con su chimenea humeante y sus gallinas ruidosas.

Frente a la puerta, Caperucita Azul sacó dos pequeños panes y un gran trozo de queso de los bolsillos de su sudadera.

—Toma —dijo—, y después te daré una rebanada de pastel de manzana. ¿Te gusta?

El lobo dijo que sí con señas.

Antes de entrar a casa, la niña dijo:

—Me divertí mucho.

—Yo también. Mucho más que con los tres cochinitos.

El lobo titubeó un poco y luego murmuró:

—¿Nos vemos mañana?

Caperucita Azul miró fijamente los ojos húmedos y sombríos del lobo.

—¡Claro! Misma hora, mismo lugar.

 Aquí Caperucita Azul muestra que es prevenida.

 Aquí Caperucita Azul muestra que es generosa.

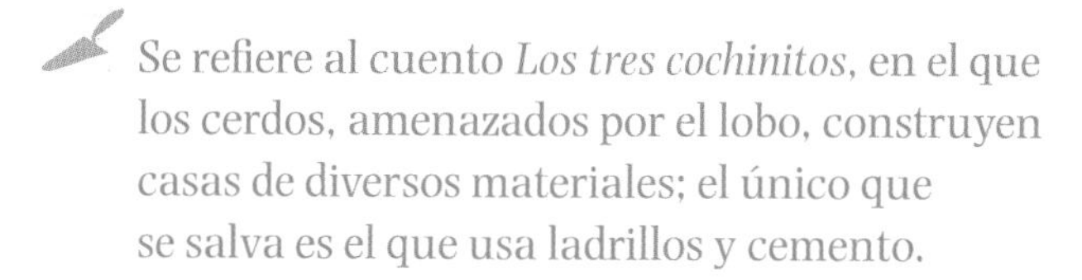 Se refiere al cuento *Los tres cochinitos*, en el que los cerdos, amenazados por el lobo, construyen casas de diversos materiales; el único que se salva es el que usa ladrillos y cemento.

Desde ese día, en el prado de dientes de león, tréboles y margaritas, Caperucita Azul y el lobo feroz representan las historias del mundo entero.

Impreso en los talleres de
Grupo Gráfico Editorial, S. A. de C. V.
Calle B, núm. 8, Parque Industrial Puebla 2000,
C. P. 72225, Puebla, Puebla, México.
Julio de 2022.